CB058697

Um copo de cólera

Raduan Nassar

Um copo de cólera

5ª edição
24ª reimpressão

COMPANHIA DAS LETRAS

*"Ninguém dirige aquele
que Deus extravia"*

*"Hosana! eis chegado o macho!
Narciso! sempre remoto e frágil,
rebento do anarquismo!"*

A CHEGADA

E quando cheguei à tarde na minha casa lá no 27, ela já me aguardava andando pelo gramado, veio me abrir o portão pra que eu entrasse com o carro, e logo que saí da garagem subimos juntos a escada pro terraço, e assim que entramos nele abri as cortinas do centro e nos sentamos nas cadeiras de vime, ficando com nossos olhos voltados pro alto do lado oposto, lá onde o sol ia se pondo, e estávamos os dois em silêncio quando ela me perguntou "que que você tem?", mas eu, muito disperso, continuei distante e quieto, o pensamento solto na vermelhidão lá do poente, e só foi mesmo pela insistência da pergunta que respondi "você já jantou?" e como ela dissesse "mais tarde" eu então me levantei e fui sem pressa pra cozinha (ela veio atrás), tirei um tomate da geladeira, fui até a pia e passei uma água nele, depois fui pegar o saleiro do armário me sentando em seguida ali na mesa (ela do outro lado acompanhava cada movimento que eu fazia, embora eu displicente fingisse que não percebia), e foi sempre na mira dos olhos dela que comecei a comer o tomate, salgando pouco a pouco o que ia me restando na mão, fazendo um empenho simulado na mordida pra mostrar meus dentes fortes como os dentes de um cavalo, sabendo que seus olhos não desgrudavam da minha boca, e sabendo que por baixo do seu silêncio ela se contorcia de impaciência, e sabendo acima de tudo que mais eu lhe apetecia quanto mais indiferente eu lhe parecesse, eu só sei que quando acabei de comer o tomate eu a deixei ali na cozinha e fui pegar o rádio que estava na estante lá da sala, e sem voltar pra cozinha a gente se encontrou de novo no corredor, e sem dizer uma palavra entramos quase juntos na penumbra do quarto.

NA CAMA

Por uns momentos lá no quarto nós parecíamos dois estranhos que seriam observados por alguém, e este alguém éramos sempre eu e ela, cabendo aos dois ficar de olho no que eu ia fazendo, e não no que ela ia fazendo, por isso eu me sentei na beira da cama e fui tirando calmamente meus sapatos e minhas meias, tomando os pés descalços nas mãos e sentindo-os gostosamente úmidos como se tivessem sido arrancados à terra naquele instante, e me pus em seguida, com propósito certo, a andar pelo assoalho, simulando motivos pequenos pra minha andança no quarto, deixando que a barra da calça tocasse ligeiramente o chão ao mesmo tempo que cobria parcialmente meus pés com algum mistério, sabendo que eles, descalços e muito brancos, incorporavam poderosamente minha nudez antecipada, e logo eu ouvia suas inspirações fundas ali junto da cadeira, onde ela quem sabe já se abandonava ao desespero, atrapalhando-se ao tirar a roupa, embaraçando inclusive os dedos na alça que corria pelo braço, e eu, sempre fingindo, sabia que tudo aquilo era verdadeiro, conhecendo, como conhecia, esse seu pesadelo obsessivo por uns pés, e muito especialmente pelos meus, firmes no porte e bem-feitos de escultura, um tanto nodosos nos dedos, além de marcados nervosamente no peito por veias e tendões, sem que perdessem contudo o jeito tímido de raiz tenra, e eu ia e vinha com meus passos calculados, dilatando sempre a espera com mínimos pretextos, mas assim que ela deixou o quarto e foi por instantes até o banheiro, tirei rápido a calça e a camisa, e me atirando na cama fiquei aguardando por ela já teso e pronto, fruindo em silêncio o algodão do lençol que me cobria, e logo eu fechava os olhos pensando nas artimanhas que empregaria (das tantas que eu sabia), e com isso fui repassando sozinho na cabeça as coisas todas que fazíamos, de como ela vibrava com os trejeitos iniciais da minha boca e o brilho que eu forjava nos meus olhos, onde eu fazia aflorar o que existia em mim de mais torpe e sórdido, sabendo que ela arrebatada pelo meu avesso haveria sempre de gritar "é este canalha que eu amo", e repassei na cabeça esse outro lance trivial do nosso jogo, preâmbulo contudo de insuspeitadas tramas posteriores, e tão necessário como fazer avançar de começo um simples peão sobre o tabuleiro, e em que eu, fechando minha mão na sua, arrumava-lhe os dedos, imprimindo-lhes coragem, conduzindo-os sob meu comando aos cabelos do meu peito, até que eles, a exemplo dos meus próprios dedos debaixo do lençol, desenvolvessem por si sós uma primorosa atividade clandestina, ou então, em etapa adiantada, depois de criteriosamente vasculhados nossos pelos, caroços e tantos cheiros, quando os dois de joelhos medíamos o caminho mais prolongado de um único beijo, nossas mãos em palma se colando, os braços se abrindo num exercício quase cristão, nossos dentes mordendo ao outro a boca como se mordessem a carne macia do coração, e de olhos fechados, largando a imaginação nas curvas desses rodeios, me vi também às voltas com certas práticas, fosse quando eu em transe, e já soberbamente soerguido da sela do seu ventre, atendia precoce a um dos seus (dos meus) caprichos mais insólitos, atirando em jatos súbitos e violentos o visgo leitoso que lhe aderia à pele do rosto e à pele dos seios, ou fosse aquela outra, menos impulsiva e de lenta maturação, o fruto se desenvolvendo num crescendo mudo e paciente de rijas contrações, e em que eu dentro dela, sem nos mexermos, chegávamos com gritos exasperados aos estertores da mais alta exaltação, e pensei ainda no salto perigoso do reverso, quando ela de bruços me oferecia generosamente um outro pasto, e em que meus braços e minhas mãos, simétricos e quase mecânicos, lhe agarravam por baixo os ombros, comprimindo e ajustando, área por área, a massa untada dos nossos corpos, e ia pensando sempre nas minhas mãos de dorso largo, que eram muito usadas em toda essa geometria passional, tão bem elaborada por mim e que a levava invariavelmente a dizer em franca perdição "magnífico, magnífico, você é especial", e eu daí entrei pensando nos momentos de renovação, nos cigarros que fumávamos seguindo a cada bolha envenenada de silêncio, quando não fosse ao correr das conversas com café da térmica (escapávamos da cama nus e íamos profanar a mesa da cozinha), e em que ela tentava me descrever sua confusa experiência do gozo, falando sempre da minha segurança e ousadia na condução do ritual, mal escondendo o espanto pelo fato de eu arrolar insistentemente o nome de Deus às minhas obscenidades, me falando sobretudo do quanto eu lhe ensinei, especialmente da consciência no ato através dos nossos olhos que muitas vezes seguiam, pedra por pedra, os trechos todos de uma estrada convulsionada, e era então que eu falava da inteligência dela, que sempre exaltei como a sua melhor qualidade na cama, uma inteligência ágil e atuante (ainda que só debaixo dos meus estímulos), excepcionalmente aberta a todas as incursões, e eu de enfiada acabava falando também de mim, fascinando-a com as contradições intencionais (algumas nem tanto) do meu caráter, ensinando entre outras balelas que eu canalha era puro e casto, e eu ali, de olhos sempre fechados, ainda pensava em muitas outras coisas enquanto ela não vinha, já que a imaginação é muito rápida ou o tempo dela diferente, pois trabalha e embaralha simultaneamente coisas díspares e insuspeitadas, quando pressenti seus passos de volta no corredor, e foi então só o tempo de eu abrir os olhos pra inspecionar a postura correta dos meus pés despontando fora do lençol, dando conta como sempre de que os cabelos castanhos, que brotavam no peito e nos dedos mais longos, lhes davam graça e gravidade ao mesmo tempo, mas tratei logo de fechar de novo os olhos, sentindo que ela ia entrar no quarto, e já adivinhando seu vulto ardente ali por perto, e sabendo como começariam as coisas, quero dizer: que ela de mansinho, muito de mansinho, se achegaria primeiro dos meus pés, que ela um dia comparou com dois lírios brancos.

O LEVANTAR

Já eram cinco e meia quando eu disse pra ela "eu vou pular da cama" mas ela então se enroscou em mim feito uma trepadeira, suas garras se fechando onde podiam, e ela tinha as garras das mãos e as garras dos pés, e um visgo grosso e de cheiro forte por todo o corpo, e como a gente já estava quase se engalfinhando eu disse "me deixe, trepadeirinha", sabendo que ela gostava que eu falasse desse jeito, pois ela em troca me disse fingindo alguma solenidade "eu não vou te deixar, meu mui grave cypressus erectus", gabando-se com os olhos de tirar efeito tão alto no repique (se bem que ela não fosse lá versada em coisas de botânica, menos ainda na geometria das coníferas, e o pouco que atrevia sobre plantas só tivesse aprendido comigo e mais ninguém), e como eu sabia que não há rama nem tronco, por mais vigor que tenha a árvore, que resista às avançadas duma reptante, eu só sei que me arranquei dela enquanto era tempo e fui esquivo e rápido pra janela, subindo imediatamente a persiana, e recebendo de corpo ainda quente o arzinho frio e úmido que começou a entrar no quarto, mas mesmo assim me debrucei no parapeito, e, pensativo, vi que o dia lá fora mal se espreguiçava sob o peso de uma cerração fechada, e, só esboçadas, também notei que as zínias do jardim embaixo brotavam com dificuldade dos borrões de fumaça, e estava assim na janela, de olhos agora voltados pro alto da colina em frente, no lugar onde o Seminário estava todo confuso no meio de tanta neblina, quando ela veio por trás e se enroscou de novo em mim, passando desenvolta a corda dos braços pelo meu pescoço, mas eu com jeito, usando de leve os cotovelos, amassando um pouco seus firmes seios, acabei dividindo com ela a prisão a que estava sujeito, e, lado a lado, entrelaçados, os dois passamos, aos poucos, a trançar os passos, e foi assim que fomos diretamente pro chuveiro.

O BANHO

Debaixo do chuveiro eu deixava suas mãos escorregarem pelo meu corpo, e suas mãos eram inesgotáveis, e corriam perscrutadoras com muita espuma, e elas iam e vinham incansavelmente, e nossos corpos molhados vez e outra se colavam pr'elas me alcançarem as costas num abraço, e eu achava gostoso todo esse movimento dúbio e sinuoso, me provocando súbitos e recônditos solavancos, e vendo que aquelas mãos já me devassavam as regiões mais obscuras — vasculhando inclusive os fiapos que acompanham a emenda mal cosida das virilhas (sopesando sorrateiras a trouxa ensaboada do meu sexo) — eu disse "me lave a cabeça, eu tenho pressa disso", e então, me tirando do foco da ducha, suas mãos logo penetraram pelos meus cabelos, friccionando com firmeza os dedos, riscando meu couro com as unhas, me raspando a nuca dum jeito que me deixava maluco na medula, mas eu não dizia nada e só ficava sentindo a espuma crescendo fofa lá no alto até que desabasse com espalhafato pela cara, me alfinetando os olhos na descida, me fazendo esfregá-los doidamente com o nó dos dedos, ainda que eu soubesse que eles, ardendo, anunciavam francamente o meu asseio, e não demorou ela me puxou de novo sob a ducha, e seus dedos começaram a tramar a coisa mais gostosa do mundo nos meus cabelos co'a chuva quente que caía em cima, e era então um plaft plaft de espuma grossa e atropelada, se espatifando na cerâmica co'a água que corria ruidosa para o ralo, e ela ria e ria, e eu ali, todo quieto e largado aos seus cuidados, eu sequer mexia um dedo pra que ela cumprisse sozinha esse trabalho, e eu já estava bem enxaguado quando ela, resvalando dos limites da tarefa, deslizou a boca molhada pela minha pele d'água, mas eu, tomando-lhe os freios, fiz de conta que nada perturbava o ritual, e assim que ela fechou o registro me deixei conduzir calado do box para o piso, e, ligado numa ligeira corrente de arrepios, fiquei aguardando até que ela me jogou uma ampla toalha sobre a cabeça, cuidando logo de me enxugar os cabelos, em movimentos tão ágeis e precisos que me agitavam a memória, e com os olhos escondidos vi por instantes, embora pequenos e descalços, seus pés crescerem metidos em chinelões, e senti também suas mãos afiladas se transformarem de repente em mãos rústicas e pesadas, e eram mãos minuciosas que me entravam com os dedos pelas orelhas, me cumulando de afagos, me fazendo cócegas, me fazendo rir baixinho sob a toalha, e era extremamente bom ela se ocupando do meu corpo e me conduzindo enrolado lá pro quarto e me penteando diante do espelho e me passando um pito de cenho fingido e me fazendo pequenas recomendações e me fazendo vestir calça e camisa e me fazendo deitar as costas ali na cama, debruçando-se em seguida pra me fechar os botões, e me fazendo estender meus pesados sapatos no seu regaço pra que ela, dobrando-se cheia de aplicação, pudesse dar o laço, eu só sei que me entregava inteiramente em suas mãos pra que fosse completo o uso que ela fizesse do meu corpo.

O CAFÉ DA MANHÃ

A gente recendia um cheiro fresco quando entramos no terraço, onde sua bolsa a tiracolo estava ainda aberta sobre a mesa, e enquanto ela se sentava numa das cadeiras de vime eu fui abrindo as cortinas que estavam por abrir, e meio escondido atrás de uma das colunas amassei o nariz no vidro e pude ver, apesar da cerração, a dona Mariana agachada junto a um canteiro da horta lá embaixo, as mãos na terra, o regador ao lado, espreitando de espaço a espaço e discretamente na direção dos vidros altos do terraço, e foi então que saí pro patamar da escada e, prendendo as mãos na cerâmica da mureta, gritei seu nome pedindo por café, mas logo tornei a entrar no foco dos seus olhos, sua cabeça reclinada no encosto da almofada, a pele cor-de-rosa e apaziguada, um suspiro breve e denso como se dissesse "eu não tive o bastante, mas tive o suficiente" (que era o que ela me dizia sempre), e eu sem dizer nada me curvei sobre o tampo da mesa de sucupira, deslocando pr'um canto sua bolsa de couro e meus pesados cinzeiros de ferro, e foi nesse momento que a dona Mariana entrou com seu jeitão de mulata protestante, as manchas na pele parda e desbotada, os óculos de lentes grossas, nos cumprimentando como sempre encabulada, mas sem dar bola pro seu embaraço eu imediatamente encomendei "o café", e ela sabia muito bem, pelo tom, que que eu queria dizer com isso, e sabia perfeitamente em que dias é que devia servi-lo assim completo (minha cama larga quase sempre escancarada), por isso ela tratou envergonhada de correr rápida pra cozinha, e eu ali no terraço corri os vidros do vão central, logo puxando uma cadeira e me sentando junto da abertura e, com os olhos pendurados na paisagem imprecisa que tinha em frente, comecei a pensar quase com cuidado no que poderia passar pela sua cabeça de purezas, e fui concluindo como sempre "bolas! pra sua confusão, dona Mariana, bolas! pra sua falta de entendimento, dona Mariana, sim, a mesma cama escancarada, mas bolas! pro que a senhora pensa" e eu ia mexendo nesses cascalhos aqui dentro (na verdade me exercitando na magia do exorcismo), e a minha caseira já tinha estendido na mesa a toalha xadrez, e em cima já estavam as louças, o pote de mel, a cumbuca com frutas, o cesto de pão e a manteigueira, e mais o canecão de barro com margaridas e melindros, e a dona Mariana, sempre sem nos olhar, já tinha voltado quem sabe mais tranquila pra cozinha, e no terraço a gente só ouvia o ruído alegre do alumínio das panelas, e eu estava achando muito bom que fosse tudo exatamente assim, quando ela me perguntou "que que você tem?", mas eu, sentindo o cheiro poderoso do café que já vinha em grossas ondas do coador lá na cozinha, eu não disse nada, sequer lhe virei o rosto, continuei alisando o Bingo, meu vira-lata, e fui pensando que o primeiro cigarro da manhã, aquele que eu acenderia dali a pouco depois do café, era, sem a menor sombra de dúvida, uma das sete maravilhas.

O ESPORRO

O sol já estava querendo fazer coisas em cima da cerração, e isso era fácil de ver, era só olhar pra carne porosa e fria da massa que cobria a granja e notar que um brilho pulverizado estava tentando entrar nela, e eu me lembrei que a dona Mariana, de olhos baixos mas contente com seu jeito de falar, tinha dito minutos antes que "o calor de ontem foi só um aperitivo", e eu sentado ali no terraço via bem o que estava se passando, e percorria com os olhos as árvores e os arbustos do terreno, sem esquecer as coisas menores do meu jardim, e era largado nessa quieta ocupação que sentia os pulmões me agradecerem os dedos cada vez que o cigarro subia à boca, e ela onde estava eu sentia que me olhava e fumava como eu, só que punha nisso uma ponta de ansiedade, certamente me questionando com a rebarba dos trejeitos, mas eu nem estava ligando pra isso, queria era o silêncio, pois estava gostando de demorar os olhos nas amoreiras de folhas novas, se destacando da paisagem pela impertinência do seu verde (bonito toda vida!), mas meus olhos de repente foram conduzidos, e essas coisas quando acontecem a gente nunca sabe bem qual o demônio, e, apesar da neblina, eis o que vejo: um rombo na minha cerca viva, ai de mim, amasso e queimo o dedo no cinzeiro, ela não entendendo me perguntou "o que foi?", mas eu sem responder me joguei aos tropeções escada abaixo (o Bingo, já no pátio, me aguardava eletrizado), e ela atrás de mim quase gritando "mas o que foi?", e a dona Mariana corrida da cozinha pelo estardalhaço, esbugalhando as lentes grossas, embatucando no alto da escada, pano e panela nas mãos, mas eu nem via nada, deixei as duas pra trás e desabalei feito louco, e assim que cheguei perto não aguentei "malditas saúvas filhas da puta", e pondo mais força tornei a gritar "filhas da puta, filhas da puta", vendo uns bons palmos de cerca drasticamente rapelados, vendo uns bons palmos de chão forrados de pequenas folhas, é preciso ter sangue de chacareiro pra saber o que é isso, eu estava uma vara vendo o estrago, eu estava puto com aquele rombo, e só pensando que o ligustro não devia ser assim essa papa-fina, tanta trabalheira pra que as saúvas metessem vira e mexe a fuça, e foi numa rajada que me lancei armado no terreno ao lado, campeando logo a pista que me conduzisse ao formigueiro, seguindo a trilha camuflada ao pé do capim alto, eu que haveria àquela hora de surpreendê-las enfurnadas, tão ativas noite afora com o corte e com a coleta, e tremendo, e espumando, eu sem demora descubro, e de balde já na mão deito uma dose dupla de veneno em cada olheiro, c'uma gana que só eu é que sei o que é porque só eu é que sei o que sinto, puto com essas formigas tão ordeiras, puto com sua exemplar eficiência, puto com essa organização de merda que deixava as pragas de lado e me consumia o ligustro da cerca viva, daí que propiciei a elas a mais gorda bebedeira, encharcando suas panelas subterrâneas com farto caldo de formicida, cuidando de não deixar ali qualquer sobra de vida, tapando de fecho, na prensa do calcanhar, a boca de cada olheiro, e eu já vinha voltando daquele terreno baldio, largando ainda vigorosas fagulhas pelo caminho, quando notei que ela e a dona Mariana, nessa altura, estavam de conversinha ali no pátio que fica entre a casa e o gramado, a bundinha dela recostada no para-lama do carro, a claridade do dia lhe devolvendo com rapidez a desenvoltura de femeazinha emancipada, o vestido duma simplicidade seleta, a bolsa pendurada no ombro caindo até as ancas, um cigarro entre os dedos, e tagarelando tão democraticamente com gente do povo, que era por sinal uma das suas ornamentações prediletas, justamente ela que nunca dava o ar da sua graça nas áreas de serviço lá da casa, se fazendo atender por mim fosse na cama ou pela caseira no terraço, deixando o café só a meu cargo na falta da dona Mariana, eu só sei que de cara enfezada, e sem olhar pro lado delas, entrei curvado pela porta do quartinho de ferramentas ali mesmo embaixo da escada, larguei lá os apetrechos que tinha carregado pra dar cabo das cortadeiras, mas, previdente, aproveitei a provisão das prateleiras pra me abastecer de outros venenos, além de eu mesmo, na rusticidade daquele camarim, entre pincéis, carvão e restos de tinta, me embriagar às escondidas num galão de ácido, preocupado que estava em maquilar por dentro as minhas vísceras, sabendo de antemão que não ia nisso nada de supérfluo, eu só sei que quando saí de novo ali pro pátio as duas já não conversavam mais, uma e outra, embora lado a lado, se encontravam habilmente separadas, ela não só tinha forjado na caseira uma plateia, mas me aguardava também c'um arzinho sensacional que era de esbofeteá-la assim de cara, e como se isso não bastasse ela ainda por cima foi me dizendo "não é pra tanto, mocinho que usa a razão", e eu confesso que essa me pegou em cheio na canela, aquele "mocinho" foi de lascar, inda mais do jeito que foi dito, tinha na observação de resto a mesma composta displicência que ela punha em tudo, qualquer coisa assim, no caso, que beirava o distanciamento, como se isso devesse necessariamente fundamentar a sensatez do comentário, e isso só serviu pra me deixar mais puto, "pronto" eu disse aqui comigo como se dissesse "é agora", eu que ficando no entrave do "mocinho" podia perfeitamente lhe dizer "fui mais manipulado pelo tempo" (se bem que ela não fosse lá entender que vantagem eu tirava disso), passando-lhe também um sabão pelo uso, enfadonho no fundo, da ironia maldosa, não que eu cultivasse um gosto raivoso pelo verbo carrancudo, puxando aí pro trágico, não era isso e nem o seu contrário, mas a ela, que via naquela prática um alto exercício da inteligência, viria bem a calhar se eu então sisudo lhe lembrasse que não dava qualquer mistura ironia e sólida envergadura, e muitas outras coisas eu poderia contrapor ainda à sua glosa, pois era fácil de ver, entre escancaradas e encobertas, a repreenda múltipla que trazia, fosse pela minha extremada dedicação a bichos e plantas, mas a repreenda, porventura mais queixosa, por eu não atuar na cama com igual temperatura (quero dizer, com a mesma ardência que empreguei no extermínio das formigas), sem contar que ela, de olho no sangue do termômetro, se metera a regular também o mercúrio da racionalidade, sem suspeitar que minha razão naquele momento trabalhava a todo vapor, suspeitando menos ainda que a razão jamais é fria e sem paixão, só pensando o contrário quem não alcança na reflexão o miolo propulsor, pra ver isso é preciso ser realmente penetrante, não que ela não fosse inteligente, sem dúvida que era, mas não o bastante, só o suficiente, e eu poderia atrevido largar às soltas o raciocínio, espremendo até ao bagaço o grão do seu sarcasmo, mas eu não falei nada, não disse um isto, tranquei minha palavra, ela não teve o bastante, só o suficiente, eu pensava, por isso já estava lubrificando a língua viperina entorpecida a noite inteira no aconchego dos meus pés e etcétera, eu só sei que continuei de cabeça baixa mas avançando, as coisas aqui dentro se triturando, e eu tinha, e isso era fácil de ver, a dona Mariana primeiro, mas estava na cara que não era a dona Mariana, nem era ela, não era ninguém em particular pra ser mais claro ainda, mas mesmo assim eu perguntei "onde está o seu Antônio?" e perguntei isso pra caseira dum jeito mais ou menos equilibrado e de quem quase, mas só quase, está se dominando, mas também não tinha a menor importância se não fosse bem assim, meu estômago era ele mesmo uma panela e eu estava co'as formigas me subindo pela garganta, sem falar que eu já puxava ali pro palco quem estivesse a meu alcance, pois não seria ao gosto dela, mas, sui generis, eu haveria de dar um espetáculo sem plateia, daí que fui intimando duramente a dona Mariana, a quem, de novo embatucada, tornei a perguntar "onde está o seu Antônio?", forjando dessa vez na voz a mesma aspereza que marcava minha máscara, combinando estreitamente essas duas ferramentas, o alicate e o pé de cabra pra lhe arrancar uma palavra, não que eu fosse exigir do seu marido o resgate daquele rombo, não que ele pudesse responder pela sanha das formigas, mas — atrelado à cólera — eu cavalo só precisava naquele instante dum tiro de partida, era uma resposta, era só de uma resposta que eu precisava, me bastando da caseira qualquer chavão do dia a dia "o Tonho foi pertinho ali embaixo mas volta logo" ou, mais cuidadosa, a dona Mariana podia inclusive justificar "ele saiu cedinho pra pegar o leite lá na venda e já deve bem de estar chegando" e ela ainda, numa das suas tiradas, podia até dizer dum jeito asceta "o Tonho tava numa das panelas e deve de estar agora estrebuchando co'as saúvas" e nem que ela tivesse de dizer, c'uma ponta de razão aliás, que de nada adiantava o marido estar ou não ali, me explicando (novidade!) que as cortadeiras trabalham em geral no escuro da noite, o que não importava na verdade é o que ela fosse lá contar, e isso só mesmo um tolo é que não via, fosse resposta ciosa ou arredia, eu só sei que bastou a dona Mariana abrir a boca pr'eu desembestar "eu já disse que o horário aqui é das seis às quatro, depois disso eu não quero ver a senhora na casa, nem ele na minha frente, mas dentro desse horário eu não admito, a senhora está entendendo? e a senhora deve dizer isso ao seu marido, a senhora está me ouvindo?" e o meu berro tinha força, ainda que de substância só tivesse mesmo a vibração (o que não é pouco), e foi tanta a repercussão que a dona Mariana não sabia o que fazer, se chamar o marido pra que cumprisse o que eu acabava de decretar (além de só lhe cobrar cuidados, era mais do que sabido que o horário dele começava às sete, e não às seis), se subia pra cozinha, ou, ainda, se devia ficar ali pra abrir o portão pra jovenzinha, que, pondo provisoriamente no gesto a reprimenda, acabava de levar a mão na maçaneta do seu carro, e o que a dona Mariana encontrou de melhor lá na cachola, depois de tão alvoroçadas hesitações das asas, foi ficar meio de lado, escondida sabiamente no canto da casa, ali bem perto da escada, mas não subia e nem fazia nada, e foi então que ela, com a mão ainda na maçaneta, deglutindo o grão perfeito do meu chamariz, e desenterrando circunstancialmente uns ares de gente séria (ela sabia representar o seu papel), entrou de novo espontaneamente em cena, me dizendo com bastante equilíbrio "eu não entendo como você se transforma, de repente você vira um fascista" e ela falou isso dum jeito mais ou menos grave, na linha reta do comentário objetivo, só entortando, um tantinho mais, as pontas sempre curvas da boca, desenhando enfim na mímica o que a coisa tinha de repulsivo, eu só sei que essa foi no saco, e não era o meu saco que devia ser atingido, disso eu estava certo (apesar de tudo), estava solidamente certo de que minha raiva se resgatava na fonte, "você me deixa perplexa" ela ainda comentou com a mesma gravidade, "perplexa!", mas segurei bem as pontas, fiquei um tempo quieto, me limitando a catar calado duas ou três achas do chão, abastecendo com lenha enxuta o incêndio incipiente que eu puxava (eu que vinha — metodicamente — misturando razão e emoção num insólito amálgama de alquimista), afinal, ela ainda não tinha entrado no carro, eu a conhecia bem, ela não fazia o gênero de quem fala e entra, ela pelo contrário era daquelas que só dão uma alfinetada na expectativa sôfrega de levar uma boa porretada, tanto assim que ela, na hora da picada, estava era de olho na gratificante madeira do meu fogo, de qualquer forma eu tinha sido atingido, ou então, ator, eu só fingia, a exemplo, a dor que realmente me doía, eu que dessa vez tinha entrado francamente em mim, sabendo, no calor aqui dentro, de que transformações era capaz (eu não era um bloco monolítico, como ninguém de resto, sem esquecer que certos traços que ela pudesse me atribuir à personalidade seriam antes características da situação), mas eu não ia falar disso pra ela, eu poderia, isto sim, era topar o desafio, partindo pr'um bate-boca de reconfortante conteúdo coletivo, sabendo que ela, mesmo ansiosa, não desprezava um bom preâmbulo, era só fazer de conta que cairia na sua fisga, beliscando de permeio a isca inteira, mamando seu grão de milho como se lhe mamasse o bico do seio, bastando pra embicar com as palavras que eu rebatesse feito um clássico "não é você que vai me ensinar como se trata um empregado", lembrando de enfiada que ninguém, pisando, estava impedido de protestar contra quem pisava, mas que era preciso sempre começar por enxergar a própria pata, o corpo antes da roupa, uma sentida descoberta precedendo a comunhão, e, se quisesse, teria motivos de sobra pra pegar no seu pezinho, não que eu fosse ingênuo a ponto de lhe exigir coerência, não esperava isso dela, nem arrotava nunca isso de mim, tolos ou safados é que apregoam servir a um único senhor, afinal, bestas paridas de um mesmíssimo ventre imundo, éramos todos portadores das mais escrotas contradições, mas, fosse o caso de alguém se exibir só como pudico, que admitisse nesta exibição, e logo de partida, a sua falta de pudor, a verdade é que me enchiam o saco essas disputas todas entre filhos arrependidos da pequena burguesia, competindo ingenuamente em generosidade com a

maciez das suas botas, extraindo deste cotejo
uns fumos de virtude libertária, desta purga
ela gostava, tanto quanto se purgava ao desan-
car a classe média, essa classe quase sempre re-
negada, hesitando talvez por isso entre lançar-
-se às alturas do gavião, ou palmilhar o chão
com a simplicidade das sandálias, confundindo
às vezes, de tão indecisa, a direção desses dois
polos, sem saber se subia pro sacerdócio, ou se
descia abertamente pra rapina (como não che-
gar lá, gloriosamente?), mas nem me passava
então pela cabeça espicaçar os conflitos da pilantra, não ia confundir um arame de alfinete
co'a iminente contundência do meu porrete,
seriam outros os motivos que me punham em
pé de guerra, estava longe de me interessar pelos traços corriqueiros de um caráter trivial, e
nem eu ia, movendo-lhe o anzol, propiciar suas
costumeiras peripécias de raciocínio, não que
me metessem medo as unhas que ela punha
nas palavras, eu também, além das caras ame-
nas (aqui e ali quem sabe marota), sabia dar ao
verbo o reverso das carrancas e das garras, sabia, incisivo como ela, morder certeiro com os
dentes das ideias, já que era com esses cacos
que se compunham de hábito nossas intrigas,

sem contar que — empurrado pra raia do rigor — meus cascos sabiam inventar a sua lógica, mas toda essa agressão discursiva já beirava exaustivamente a monotonia, não era mais o caso de bocejar em cima de um sono maldormido, não era o caso enfadonho de esticar braços supérfluos, as coisas aqui dentro se fundiam velozmente com a febre, eu já não tinha sequer pedrisco na moela, quanto mais cascalho que era o indicado pra digerir o papo dela, sem esquecer que a reflexão não passava da excreção tolamente enobrecida do drama da existência, ora, o seu Antônio, na semana anterior, já tinha estercado os canteiros de hortaliças, o que fazer então com o farelo das teorias? saí pois, mais que depressa, pela tangente, fui é pro terreno confinado dela, fui pr'uma área em que ela se gabava como femeazinha livre, é ali que eu a pegaria, só ali é que lhe abriria um rombo (eu que poderia simplesmente dispensá-la c'um sumário "vá caçar sapo", dando-lhe as costas e subindo pro terraço), é ali que eu haveria de exasperar sua arrogante racionalidade, mas nem era isso o que eu queria (exasperá-la por exemplo e só), eu estava dentro de mim, precisava naquele instante é duma escora, precisava mais do que nunca — pra atuar — dos gritos secundários duma atriz, e fique bem claro que não queria balidos de plateia, longe disso, tinha a lúcida consciência então de que só queria meu berro tresmalhado, e ela nem tinha tanto a ver com tudo isso (concordo que é confuso, mas era assim), eu estava dentro de mim, eu já disse (e que tumulto!), estava era às voltas c'o imbróglio, co'as cólicas, co'as contorções terríveis duma virulenta congestão, co'as coisas fermentadas na panela do meu estômago, as coisas todas que existiam fora e minhas formigas pouco a pouco carregaram, e elas eram ótimas carregadeiras as filhas da puta, isso elas eram excelentes, e as malditas insetas me tinham entrado por tudo quanto era olheiro, pela vista, pelas narinas, pelas orelhas, pelo buraco das orelhas especialmente! e alguém tinha de pagar, alguém sempre tem de pagar queira ou não, era esse um dos axiomas da vida, era esse o suporte espontâneo da cólera (quando não fosse o melhor alívio da culpa), o fato é que eu, mesmo sentindo os olhares por perto — os olhos protestantes da dona Mariana estavam prontos, e eu já tinha descoberto atrás dum arbusto as pernas bambas do seu Antônio

— mesmo assim estufei um pouco o peito e dei dois passos na direção dela, e ela deve ter notado alguma solenidade nesse meu avanço, era inteligente a jovenzinha, e versátil a filha da puta, eu só sei que ela de repente levou as mãos na cintura, mudou a cara em dois olhos de desafio, os dois cantos da boca sarcásticos, além de esbanjar a quinquilharia de outros trejeitos, mas nem era preciso tanto, eu nessa altura já não podia mais conter o arranco "você aí, você aí" eu disparei de supetão "você aí, sua jornalistinha de merda" continuei expelindo o vitupério aos solavancos, ela não se mexia junto ao carro, só a bundinha dela se esfregava na maçaneta, e sorriu a filha da puta, um "há-há--há" que eu esperava e não esperava, ela procurava me confundir, mas mesmo assim eu fui em frente "que tanto você insiste em me ensinar, hem jornalistinha de merda? que tanto você insiste em me ensinar se o pouco que você aprendeu da vida foi comigo, comigo" e eu batia no peito e já subia no grito, mas um "ó! honorável mestre!..." ela disse e foi um zás-trás sua língua peçonhenta saindo e se recolhendo, era só de ver como trabalhava aquela peça bem azeitada, e ouvindo o que ela disse eu tremi, não propriamente pela ironia, vazada de resto na técnica primária do sumo apologético, era antes pela obsessiva teima em me castrar, me chamando de "mestre", sim, mas me barrando como sempre, por falta de títulos, qualquer acesso ao entendimento, a mim, um "biscateiro graduado" (que sabia a pilantra das minhas transas de trabalho?), sugerindo então que eu, na discussão, não devia ir além das minhas chinelas, se bem que eu não estivesse mais aí, quero dizer, já não me interessava ser acatado no pasto das ideias, tantas vezes aliás já tinha dito a ela que não era pela profissão, nem ainda pela cabeça, mas pela garganta que se reconhecia a fibra da reflexão, pelo calibre ranzinza da goela na hora de engolir, um defeito de anatomia que se encontrava entre os comuns dos mortais na mesma minguada proporção que existia entre os babacas dos intelectuais, vindo pois da enfermidade — e só daí — a força amarga do pensamento independente, claro que os profetas não podiam responder pela volúpia dos seguidores, mas me deixava uma vara ver a pilantra, ungida no espírito do tempo, se entregando lascivamente aos mitos do momento, me deixava uma vara ver a pilantra, a despeito da sua afetada rebeldia, sendo puxada por este ou aquele dono, uma porrada de vezes tentei passar o canivete na sua coleira, uma porrada de vezes lembrei que o cão acorrentado trazia uma fera no avesso, a ela que a propósito de tudo vivia me remetendo lá pros seus guias (tinha uma saúde de ferro a pilantra, impossível abalar sua ossatura), desesperado mesmo eu lhe dizia que antes daquelas sombras esotéricas eu tinha nas mãos a minha própria existência, não conhecendo, além do útero, matriz capaz de conformar essa matéria-prima, mas era sempre uma heresia bulir nas tábuas dos seus ídolos, riscar o pó, assustar esses fantasmas, cheguei até a lembrar o episódio daquele remoto peripatético (fosse agora e ela feito um sabujo se filiaria à sua escola, lambendo-lhe os pés numa submissão obscena), que na sua história natural atribuiu incorretamente ao cavalo certo número de dentes, fazendo, com o andar lento mas autoritário, seu erro atravessar séculos com força de verdade, e que tantos outros absurdos, alguns desde os primórdios, continuavam sendo tolamente erguidos num andor, e que inclusive nas escolas (altar dos dogmas) se abriam muitas vezes alas pr'esse andor passar, mas de nada adiantava a pregação pelo reverso, de nada adiantava o gesto que destorcia a chave, eu, "biscateiro" ("graduado" no biscate), eu não era um "mestre", menos ainda "honorável", eu (ironia) não era certamente uma autoridade, mas mesmo assim tive ímpetos então — e não era essa a primeira vez — de meter dois dedos em cada canto dos lábios, esticando-os até escancarar a boca larga do meu forno, piscando ao mesmo tempo o olho numa clara advertência "abra minha boca e conte você mesma os dentes deste cavalo", ilustrando assim grotesco a força do empirismo, já que eu pra ela não passava de "uma besta vagamente interessante", era isso aliás, nas horas desconvulsas, o máximo que ela me concedia, mas eu não fiz e nem disse nada disso, não arreganhei os dentes, nem quaisquer outros correspondentes, afinal, não seria exatamente pedagógica a investida, já disse por sinal que não queria balidos de plateia, e já disse também que queria meu berro tresmalhado, só não disse ainda — e é isto o que mais conta — é que não queria sair das minhas chinelas, daí é que voltei a entrar de sola "nunca te passou pela cabeça, hem intelecta de merda? nunca te passou pela cabeça que tudo que você diz, e tudo que você vomita, é tudo coisa que você ouviu de orelhada, que nada do que você dizia você fazia, que você só trepava como donzela, que sem minha alavanca você não é porra nenhuma, que eu tenho outra vida e outro peso..." aí ela me interrompeu "vai, vai, repete outra vez, me diz que você não é o ermitão que eu te imagino, mas que você tem demônios a dar com pau ao teu redor, vai, diz isso, diz isso de novo... há-há--há... demoníaco... há-há-há..." ela devia no café a gulosa ter esvaziado um pote de brilhantina, se eu nunca tinha dito nada como isso! estava na cara que a coisa deslizava, eu do meu lado estava tremendo, e com isso até já ia me perdendo, soltando inclusive a língua bem mais do que convinha "escute aqui, pilantra, não fale de coisas que você não entende, vá pôr a boca lá na tua imprensa, vá lá pregar tuas lições, denunciar a repressão, ensinar o que é justo e o que é injusto, vá lá derramar a tua gota na enxurrada de palavras; desperdice o papel do teu jornal, mas não meta a fuça nas folhas do meu ligustro" eu disse putíssimo comigo mesmo por ter passado de repente de um ataque curto e grosso à simples defensiva, propiciando ainda que ela, capciosa, acionasse com absoluta precisão o bote "compreende-se, senhor, sou bem capaz de avaliar os teus temores... tanto recato, tanta segurança reclamada, toda essa suspeitíssima preocupação co'a tua cerca, aliás, é incrível como você vive se espelhicizando no que diz; vai, fala, continua co'as palavras, continua o teu retrato, mas vem depois pra ver daqui a tua cara... há-há-há... que horror!" e ela disse isso como se me pilhasse num flagra, aproveitando meu embaraço pra carregar inda mais a barra "ergue logo um muro, constrói uma fortaleza, protege o que é teu na espessura duma muralha" "não tire conclusões fáceis" eu mal consegui dizer, "é a conclusão do povo" ela veio imediata no rebote, deixando claro que depois disso só haveria lugar pr'uma sentença, provavelmente a roda medieval, "sabe no que você me faz pensar, hem pilantra?" eu disse numa voz plana, sem poder acreditar na súbita calma (nervosa por dentro) de cada palavra, fiz aliás que partia pro bate--boca, fiz que ia na dela (ela insistia no preâmbulo, queria, antes do porrete, que eu lhe acendesse os botões do corpo), mas fui montado nos meus cálculos, tanto assim que na fervura oculta da caldeira era fácil de ver meus algarismos saçaricando co'a borbulha "você me faz pensar no homem que se veste de mulher no carnaval: o sujeito usa enormes conchas de borracha à guisa de seios, desenha duas rodelas de carmim nas faces, riscos pesados de carvão no lugar das pestanas, avoluma ainda com almofadas as bochechas das nádegas, e sai depois por aí com requebros de cadeira que fazem inveja à mais versátil das cabrochas; com traços tão fortes, o cara consegue ser — embora se traia nos pelos das pernas e nos pelos do peito — mais mulher que mulher de verdade" "e?..." "e tem que isso me leva a pensar que dogmatismo, caricatura e deboche são coisas que muitas vezes andam juntas, e que os privilegiados como você, fantasiados de povo, me parecem em geral como travesti de carnaval", e disse isso com boa sobra de transparência, sem qualquer acidente que perturbasse a ilustração, mas era espantosa sua agilidade, não era só no populismo, no estilo ela alcançava também um transcendente mimetismo "todo cidadão tem o direito, claro, de meter duas rodelas de carmim nas faces, de arredondar a ponta do nariz numa bola vermelha, de pendurar no braço um pau grosso e torto à guisa de bengala, e de ajustar um chapéu-pituca, alto e pontudo, sobre a nuca, e, feito isso, sair em praça pública fazendo graça... há-há-há... há-há-há... há-há-há..." eu devia cumprimentar a pilantra, não tinha o seu talento, não chegava a isso meu cinismo, fingir indiferença assim perto duma fogueira, dar gargalhadas à beira do sacrifício, e tinha de reconhecer a eficiência do arremedo, um ligeiro branco me varreu um instante a cabeça, senti as pernas de repente amputadas, caí numa total imobilidade, notei com o rabo do olho direito — espichada no canto da casa — a dona Mariana recolhendo com presteza a cara, e com o rabo do esquerdo — atrapalhada entre as folhas do arbusto — apanhei em cheio a cara loura e lerda do seu Antônio, não tinha dúvida que ela gozava de audiência "fique tranquila, pilantra, gente como você desempenha uma função" eu disse com amargura, "fique tranquilo, sabichão, gente como você também desempenha uma função: cruzando os braços, você seria conivente, mas vejo agora que isso é muito pouco, como agente é que você há de ser julgado" "não pedi tua opinião" eu disse me amparando na frase feita, essa muleta ociosa mas capaz de me exacerbar, compensadoramente, as sobras de musculatura, senti que me explodiam duas bolhas imensas aqui nos bíceps, enquanto reconquistava — suprema aventura! — minha consciência ocupada, fazendo coincidir, necessariamente, enfermidade e soberania "pra julgar o que digo e o que faço tenho os meus próprios tribunais, não delego isso a terceiros, não reconheço em ninguém — absolutamente em ninguém — qualidade moral pra medir meus atos" eu disse trocando de repente de retórica (tinha vibrado o diapasão e pinçado um tom suspeito, mas, como simples instrumentos — inclusive as inefáveis... — e já que tudo depende do contexto, que culpa tinham as palavras? existiam, isto sim, eram soluções imprestáveis), acabei invertendo de vez as medidas, tacando três pás de cimento pra cada pá de areia, argamassando o discurso com outra liga, me reservando uma hóstia casta e um soberbo cálice de vinho enquanto entrava firme e coeso (além de magistral, como ator) na liturgia duma missa negra "tinha treze anos quando perdi meu pai, em nenhum momento me cobri de luto, nem mesmo então sofri qualquer sentimento de desamparo, não estaria pois agora à procura de nova paternidade, seria preciso resgatar a minha história pr'eu abrir mão dessa orfandade" "tenho de te cumprimentar pela proeza" ela disse ligeira "só mesmo você consegue ser ao mesmo tempo órfão e grisalho... há-há-há..." e desencaminhando o que eu dizia, seu sarcasmo forjou também um sutil desdobramento, sugerindo, ao me incluir na geração cinzenta, que isso me aporrinhava tremendamente, justo a mim, justo a mim que até cultivava precocidades de ancião, e ela sabia disso a pilantra, ela não ignorava, segundo seu próprio comentário, essa minha "supérflua veleidade", o que só vinha realçar então o atrevido contorcionismo da tirada, tanto mais quando se pensa que eu tinha lá uns fios brancos, cronológicos, surgidos na disciplina do tempo, mas que estava longe de ter os cabelos mesclados (eram brilhantes seus torneios de raciocínio, sem dúvida que ela merecia cumprimentos), é bem verdade que, brilho à parte, o achincalhe escondia como sempre um nevoeiro denso de sensualidade, a mesma solicitação queixosa, provocadora, redundante, afinal, a jovenzinha nunca tinha o bastante deste "grisalho", eu só sei que continuei montado nos

meus cálculos, mas, soberano, concordo que
ela ainda puxava a orelha dos meus números
pelos dedos, pois, apesar de esgotado o prazo
que eu mesmo me concedera pro bate-boca,
me vi emendando às pressas — ponta com
ponta — o fio cortado por ela um pouco atrás
"disse e repito: seria preciso resgatar a minha
história pr'eu abrir mão dessa orfandade, sei
que é impossível, mas seria esta a condição primordial; já foi o tempo em que via a convivência como viável, só exigindo deste bem comum, piedosamente, o meu quinhão, já foi o
tempo em que consentia num contrato, deixando muitas coisas de fora sem ceder contudo
no que me era vital, já foi o tempo em que reconhecia a existência escandalosa de imaginados valores, coluna vertebral de toda 'ordem';
mas não tive sequer o sopro necessário, e, negado o respiro, me foi imposto o sufoco; é esta
consciência que me libera, é ela hoje que me
empurra, são outras agora minhas preocupações, é hoje outro o meu universo de problemas; num mundo estapafúrdio — definitivamente fora de foco — cedo ou tarde tudo acaba se reduzindo a um ponto de vista, e você,
que vive paparicando as ciências humanas,

nem suspeita que paparica uma piada: impossível ordenar o mundo dos valores, ninguém arruma a casa do capeta; me recuso pois a pensar naquilo em que não mais acredito, seja o amor, a amizade, a família, a igreja, a humanidade; me lixo com tudo isso! me apavora ainda a existência, mas não tenho medo de ficar sozinho, foi conscientemente que escolhi o exílio, me bastando hoje o cinismo dos grandes indiferentes..." "lá tá ele metafisicando, o especulativo... se largo as rédeas, ele dispara no bestialógico... não vem que não tem, esse papo já era" ela disse peremptória, despachando com censura, lacrando meu protesto, arquivando-o sem consulta, passando enfim no meu feixe de ideias uma sólida argola de ferro, pode ser até que eu tivesse algo (os cílios lânguidos, alongados?) de bovino, mas é preciso convir também em que ela exorbitou no atrevimento ao cometer tamanha violência no nariz do meu cavalo, embora ela mesma se guardando até nos frívolos direitos, esticando prazenteirissimamente a goma das palavras, mascando esta ou aquela como se fosse um elástico ou a porra do pai dela, "espelhicizando-se" a sacana, "metafisicando" lá à sua maneira, eu tinha de dar

um fecha nessa farsa toda, já tinha ido muito
longe c'o preâmbulo, bolinado demais a isca da
pilantra, sentindo que faltava pouco pr'ela me
rasgar a boca na sua fisga "não dá pé mesmo, ô
burocrata, mas não resisto a este registro, é importante: foi a duras penas que aprendi a transformar em graça o ferrete que carrego, sinto as
mãos agora poderosamente livres para agir,
evidentemente c'um olho no policial da esquina, o outro nas orgias da clandestinidade; é esta a iluminação que pode se revelar aos excluídos, juntamente com o arbítrio de usar uma
chispa desta luz pra inflamar as folhas de qualquer código" e foi aí que deu o estalo nela "tive um insight" ela disse c'uns ares de heureca,
"acho que matei o quebra-cabeça, descobri finalmente qual é a verdadeira 'ocupação' desse
nosso biscateiro, aliás, só agora entendo por
que tanta recusa em falar do teu 'trabalho', por
que tanto mistério, só agora é que atino com o
quê das tuas transas, já que todas as pistas do
teu caráter me levam a concluir que você não
passa dum vigarista, dum salafra, dum falsário" e logo ela arrebitou o achado "não um falsário qualquer, claro que um falsário graduado..." e eu confesso que de novo me treme-

ram as pernas, vi o Bingo, naquele preciso instante, cortar numa carreira elétrica o espaço entre mim e ela, esticando — com seu pelo negro e brilhante — mais um fio na atmosfera, e foi na cola dele que estiquei inda mais a corda dos meus nervos, contornando com cuidado a suspeita de falsário, que eu não soube de resto se era jocosa ou sisuda, ou se, sendo uma coisa, vinha prudentemente misturada com a outra, eu só sei que dei a volta por cima, soneguei mexer no mérito, não permitindo que ela sopesasse a gravidade da suposta descoberta, deixei a pilantra de mãos abanando ao dar sumiço, num passe de prestidigitador, na maçã do seu insight "me sinto hoje desobrigado, é certo que teria preferido o fardo do compromisso ao fardo da liberdade; não tive escolha, fui escolhido, e, se de um lado me revelaram o destino, o destino de outro se encarregou de me revelar: não respondo absolutamente por nada, já não sou dono dos meus próprios passos, transito por sinal numa senda larga, tudo o que faço, eu já disse, é pôr um olho no policial da esquina, o outro nas orgias da clandestinidade" "não posso descuidar que ele logo decola com o verbo... corta essa de solene, desce aí dessas alturas, entenda, ô estratosférico, que essa escalada é muito fácil, o que conta mesmo na vida é a qualidade da descida; não me venha pois com destino, sina, karma, cicatriz, marca, ferrete, estigma, toda essa parafernália enfim que você bizarramente batiza de 'história'; se o nosso metafísico pusesse os pés no chão, veria que a zorra do mundo só exige soluções racionais, pouco importa que sejam sempre soluções limitadas, importa é que sejam, a seu tempo, as melhores; só um idiota recusaria a precariedade sob controle, sem esquecer que no rolo da vida não interessam os motivos de cada um — essa questãozinha que vive te fundindo a cuca — o que conta mesmo é mandar a bola pra frente, se empurra também a história co'a mão amiga dos assassinos; aliás, teus altíssimos níveis de aspiração, tuas veleidades tolas de perfeccionista tinham mesmo de dar nisso: no papo autoritário dum reles iconoclasta — o velho macaco na casa de louças, falando ainda por cima nesse tom trágico como protótipo duma classe agônica... sai de mim, carcaça!" e logo ela tachava minha performance de catártica ("pura catarse" ela engrolou), palavra c'um terrífico poder demolidor e que — pelo uso imprudente, ou pelo abuso — transformava o próprio cérebro da pilantra num cogumelo nuclear, mas eu de novo dei a volta por cima, deixei inclusive a "parafernália" pra trás (bola pra frente!) e fui empurrando a minha história, equacionando uma álgebra tropical, ardente como nas origens (sangue e areia), uma operação perfeita por não dispensar os valores positivos da pilantra, mas que não prescindia jamais, por outro lado, dos meus valores negativos (ou da "mão amiga dos assassinos"): "já disse que a margem foi um dia meu tormento, a margem agora é a minha graça, rechaçado quando quis participar, o mundo hoje que se estrepe! caiam cidades, sofram povos, cesse a liberdade e a vida, quando o rei de marfim está em perigo, que importa a carne e o osso das irmãs e das mães e das crianças? nada pesa na alma que lá longe estejam morrendo filhos..." "há-há--há... ele perdeu as estribeiras... há-há--há... delinquente!" "...que tudo venha abaixo, eu estarei de costas; ao absurdo, com a loucura, e nem podia ser outra a resposta; é amarga, sim, mas é no mínimo adequada, e isto não depende do teu decreto, pois desde já é fácil de prever o teu futuro: além de jornalista exímia, você preenche brilhantemente os requisitos como membro da polícia feminina; aliás, no abuso do poder, não vejo diferença entre um redator-chefe e um chefe de polícia, como de resto não há diferença entre dono de jornal e dono de governo, em conluio, um e outro, com donos de outros gêneros" "não é comigo, solene delinquente, mas com o povo que você há de se haver um dia" "pense, pilantra, uma vez sequer nessa evidência, ainda que isso seja estranho ao teu folclore, ainda que a disciplina das tuas orelhas não se preste a tanta dissonância: o povo nunca chegará ao poder!" "louquinho da aldeia!... entrou de vez em convulsão, sabe-se lá o que ainda vem desse transe paroxístico..." "o povo nunca chegará ao poder! não seria pois com ele que teria um dia de me haver; ofendido e humilhado, povo é só, e será sempre, a massa dos governados; diz inclusive tolices, que você enaltece, sem se dar conta de que o povo fala e pensa, em geral, segundo a anuência de quem o domina; fala, sim, por ele mesmo, quando fala (como falo) com o corpo, o que pouco adianta, já que sua identidade jamais se confunde com a identidade de supostos representantes, e que a força escrota da autoridade necessariamente fundamenta toda 'ordem', palavra por sinal sagaz que incorpora, a um só tempo, a insuportável voz de comando e o presumível lugar das coisas; claro que o povo pode até colher benefícios, mas sempre como massa de manobra de lideranças emergentes; por isso vá em frente, pilantra — com o povo na boca, papagueando sua fala tosca, sem dúvida pitoresca, embora engrossando co'arremedo a sufocante corda dos cordeiros, exatamente como o impassível ventríloquo que assenta paternalmente os miúdos sobre os joelhos, denunciando inclusive trapaças com sua arte, ainda que trapaceando ele mesmo ao esconder a própria voz; mas não se preocupe, pilantra, você chega lá... montadinha, é claro, numa revolta usurpada, montadinha numa revolta de segunda mão; quanto a este tresmalhado, ou delinquente, te digo somente que ninguém dirige aquele que Deus extravia! não aceito pois nem a pocilga que está aí, nem outra 'ordem' que se instale, olhe bem aqui..." eu disse chegando ao pico da liturgia, e foi pensando na suposta subida do meu verbo que eu, pra compensar, abaixei sacanamente o gesto "tenho colhão, sua pilantra, não reconheço poder algum!" "Hosana! eis chegado o macho! Narciso! sempre remoto e frágil, rebento do anarquismo!... há-há-há... dogmático, caricato e debochado... há-há-há..." "entenda, pilantra, toda 'ordem' privilegia" "entenda, seu delinquente, que a desordem também privilegia, a começar pela força bruta" "força bruta sem rodeios, sem lei que legitime" "estou falando da lei da selva" "mas que não finge a pudicícia, não deixa lugar pro farisaísmo, e nem arrola indevidamente uma razão asséptica, como suporte" "pois vista uma tanga, ou prescinda mesmo dela, seu gorila" "dispenso a exortação, fique aí, no círculo da tua luz, e me deixe aqui, na minha intensa escuridão, não é de hoje que chafurdo nas trevas: não cultivo a palidez seráfica, não construo com os olhos um olhar pio, não meto nunca a cara na máscara da santidade, nem alimento a expectativa de ver a minha imagem entronada num altar; ao contrário dos bons samaritanos, não amo o próximo, nem sei o que é isso, não gosto de gente, para abreviar minhas preferências; afinal, alguém precisa, pilantra — e uso aqui tua palavrinha mágica — 'assumir' o vilão tenebroso da história, alguém precisa assumi-lo pelo menos pra manter a aura lúcida, levitada sobre tua nuca; assumo pois o mal inteiro, já que há tanto de divino na maldade, quanto de divino na santidade; e depois, pilantra, se não posso ser amado, me contento fartamente em ser odiado" "sem acesso à razão, ele agora se ressuscita ridiculamente como Lúcifer... há-há-há... som e fúria... há-há-há... você não passa, isto sim, é de um subproduto de paixões obscuras, e toda essa algaravia, obsessivamente desfiada, só serve por sinal pra confirmar velhas suspeitas... aqui com meus botões, aberração moral é sempre cria de aberrações inconfessáveis, só pode estar aí a explicação dos teus 'caprichos'... além, claro, do susto que te provoco como mulher que atua... e quanto a esse teu arrogante 'exílio' contemplativo, a coisa agora fica clara: enxotado pela consciência coletiva, que jamais tolera o fraco, você só tinha de morar no mato; em favor do nosso ecologista, será contudo levado em conta o fato de não ter arrolado a poluição como justificativa, imitando assim os mestres-trapaceiros que — pra esconder melhor os motivos verdadeiros — deixam que os tolos cheguem por si mesmos às desprezíveis conclusões sugeridas pelo óbvio, um jogo aliás perfeito e que satisfaz a todos: enquanto os primeiros, lúdicos, fruem em silêncio a trapaça, os segundos, barulhentos, se regozijam com a própria perspicácia; mas não é este o teu caso: trapaceiro sem ser mestre, o que devia ser escondido acabou também ficando óbvio, e o tiro então saiu pela culatra, pois só podia mesmo ser este o teu 'destino': viver num esconderijo com alguém da tua espécie — Lúcifer e seu cão hidrófobo... que pode até dar fita de cinema... há-há-há... um fechando os buraquinhos da cerca, o outro montando guarda até que chegue a noite, os dois zelando por uma confinadíssima privacidade, pra depois, em surdina... muito recíprocos... entre arranhões e lambidinhas... urdir com os focinhos suas orgias clandestinas... há-há-há... há--há-há... há-há-há... me dá nojo!" e foi de embolada que ela desfechou a saraivada, levando firme a mão lá na pedreira, me atirando de novo a razão na cara, espetando de quebra espinhos terríveis, contive a baba, mas me tremeram fortemente os dentes, não foi por outro motivo que passei a picotar o discurso hemorrágico do meu derrame cerebral "sim, eu, o extraviado, sim, eu, o individualista exacerbado, eu, o inimigo do povo, eu, o irracionalista, eu, o devasso, eu, a epilepsia, o delírio e o desatino, eu, o apaixonado..." "queima-me, língua de fogo!... há-há-há..." "...eu, o pavio convulso, eu, a centelha da desordem, eu, a matéria inflamada, eu, o calor perpétuo, eu, a chama que solapa..." "transforma-me em tuas brasas!... há-há-há..." "...eu, o manipulador provecto do tridente, eu, que cozinho uma enorme caldeira de enxofre, eu, sempre lambendo os beiços co'a carne tenra das crianças..." "fogo violento e dulcíssimo!... há-há-há..." "...eu, o quisto, a chaga, o cancro, a úlcera, o tumor, a ferida, o câncer do corpo, eu, tudo isso sem ironia e muito mais, mas que não faz da fome do povo o disfarce do próprio apetite; saiba ainda que faço um monte pr'esse teu papo, e que é só por um princípio de higiene que não limpo a bunda no teu humanismo; já disse que tenho outra vida e outro peso, sua nanica, e isso definitivamente não dá pauta pra tua cabecinha" eu disse vertendo bílis no sangue das palavras, sentindo que lhe abalava um par de ossos, tinha sido certeira a porretada do disfarce, sem falar na profilática rejeição do seu humanismo, mas era incrivelmente espantosa sua agilidade, vendo que não cabiam mais palavras na refrega, a nanica, mesmo irritada, se agarrou às pressas no rabo do meu foguete, passando ao mesmo tempo — c'um eloquente jogo das cadeiras — a me incitar pro pega "o mocinho é grandioso em tudo... fascistão!" e ela desatou sua sentença em dois tons, claramente distintos, e o que tinha no primeiro de forçada zombaria, aí enroscada uma ferina ponta de malícia, tinha de conclusiva seriedade no segundo, aí enroscado um fiapo da ofendida, e eu com isso, embora tremendo, fui avançando mais seguro, tomando ao mesmo tempo fôlego sem que ela percebesse, e como eu recuperasse aquela calma (nervosa por dentro) de cada palavra, eu arrisquei ainda "só uma pergunta: sabe qual é a minha opinião a teu respeito, comparada comigo mesmo?" "você é incapaz, absolutamente incapaz de ter opinião" "tudo bem, mas sabe o que penso de você e de mim, comparados um com o outro?" "desembucha logo, seu delinquente" "confesso que em certos momentos viro um fascista, viro e sei que virei, mas você também vira fascista, exatamente como eu, só que você vira e não sabe que virou; essa é a única diferença, apenas essa; e você só não sabe que virou porque — sem ser propriamente uma novidade — não há nada que esteja mais em moda hoje em dia do que ser fascista em nome da razão" "devo então concluir que o nosso fascista confesso ainda é melhor, se comparado a mim" "pelo contrário, se por um lado redime, a confissão por outro também pode liberar: mais do que nunca posso agir como fascista..." "que que você quer dizer com isso?" e seus olhos me paparicavam num intenso desafio, "é uma ameaça, seu delinquente?", notei porém de esguelha o Bingo esculturando o corpo, fuzilando os olhos na direção dela, a cauda um sarrafo teso, as orelhas duas antenas, vira-lata sim, mas na postura tensa do cão que amarra a caça, "fique de lado, Bingo" eu ordenei ferindo-lhe os escrúpulos de fidelidade, "não se meta" ciciei ainda dispensando sem complacência o seu concurso, afinal, já não tinha sido lá muito leal ter permitido que a pilantra açulasse tanto a sanha dos meus números, levando inclusive minha queima a um estardalhaço de estalidos (fácil concluir que dois e dois são quatro à sombra duma figueira, queria era ver alguém puxar linhas e outros segmentos, fechar rigorosamente um círculo, demonstrar enfim um teorema em plena fogueira do inferno), eu só sei que me chamei aqui inteiro e, decidido, dei outro passo à frente e sapequei "tipos como você babam por uma bota, tipos como você babam por uma pata" eu disse dispondo com perfeito equilíbrio a ambivalência da minha suspeição — a vontade de poder misturada à volúpia da submissão — mas versátil, versátil a jovenzinha, atirou pra dentro do carro a bolsa a tiracolo e apoiou as mãos na lata como se me chamasse para o tapa, e era evidente o que ela queria, mas eu não queria dar nela "você acha que estou nessa de te surrar, hem imbecil?" e vendo nisso quem sabe um recuo, fraqueza, ou sei lá o quê, e associando tudo isso do seu jeito, ela reagiu que nem faísca, e foi metálico, e foi cortante o riso de escárnio "bicha!" foi a mordida afiada da piranha, tentando numa só dentada me capar co'a navalha, ("óbvio!..."), traindo-se por sinal, feito um travesti de carnaval, nos grossos pelos da sua ideologia, ela que trombeteava o protesto contra a tortura enquanto era ao mesmo tempo um descarado algoz do dia a dia, igualzinha ao povo, feito à sua imagem, lá nos estádios de futebol, igualzinha ao governo, repressor, que ela sem descanso combatia, eu só sei que aí a coisa foi suspensa, o circo pegou fogo (no chão do picadeiro tinha uma máscara), minha arquitetura em chamas veio abaixo, inclusive os ferros da estrutura, e eu me queimando disse "puta" que foi uma explosão na boca e minha mão voando outra explosão na cara dela, e não era a bofetada generosa parte de um ritual, eu agora combinava intencionalmente a palma co'as armas repressivas do seu arsenal (seria sim no esporro e na porrada!), por isso tornei a dizer "puta" e tornei a voar a mão, e vi sua pele cor-de-rosa manchar-se de vermelho, e de repente o rosto todo ser tomado por um formigueiro, seus olhos ficaram molhados, eu fiquei atento, meus olhos em brasa na cara dela, ela sem se mexer amparada pelo carro, eu já recuperado no aço da coluna, ela mantendo com volúpia o recuo lascivo da bofetada, cristalizando com talento um sistema complexo de gestos, o corpo torcido, a cabeça jogada de lado, os cabelos turvos, transtornados, fruindo, quase até o orgasmo, o drama sensual da própria postura, mas nada disso me surpreendia, afinal, eu a conhecia bem, pouco importava a qualidade da surra, ela nunca tinha o bastante, só o suficiente, estava claro naquele instante que eu tinha o pêndulo e o seguro controle do seu movimento, estava claro que eu tinha mudado decisivamente a rotação do tempo, sabendo, como eu sabia, que eu tinha a explorar áreas imensas da sua gula, sabendo, como eu sabia, de que transformações eu era capaz, e foi bem aqui comigo que pensei "peraí que você vai ver só" "peraí que você vai ver ainda" foi o que pensei dando conta de que a merda que me enchia a boca já escorria pelos cantos, mas eu não perdia nada dessa íntima substância, ia aparando com a língua o que caía antes da hora, sem falar que a fumaceira do momento era extremamente propícia ao ocultismo, não ia desperdiçar aquela chance de me exercitar nas finas artes de feiticeiro, por isso a coisa foi assim: surgiram, em combustão, gotas de gordura nos metais das minhas faces, meu rosto começou a transmudar-se, primeiro a casca dos meus olhos, logo depois a massa obscena da boca, num instante eu era o canalha da cama, e eu li na chama dos seus olhos "sim, você canalha é que eu amo", e sempre atento aos sinais da sua carne eu passei então a usar a língua, muda e coleante, capaz sozinha das posturas mais inconcebíveis, e não demorou ela mexeu os lábios dum jeito mole e disse um "sacana" bem dúbio, era preciso conhecer de perto sua boca pra saber o que ela tinha dito, e era preciso conhecer essa femeazinha de várias telhas pra saber que sugestão, eu fiz de conta que tinha esquecido tudo e que o mundo agora só tinha aquele apertado metro de diâmetro, continuei o canalha da cama e ela dum jeito mais quente tornou a dizer "sacana", que era o mesmo que dizer "me convida pra deitar na grama", ela que nos arroubos de bucolismo me pedia sempre pra trepar no mato, daí que forjei uma víbora no músculo viscoso da língua, e conformei-lhe cabeça, e uma sórdida altivez, "an" "an" "an" eu disse mexendo a ponta devassa, "sacana sacana" ela disse numa entrega hipnótica, já entrando quem sabe em estado de graça, mantendo contudo as narinas plenas, uma respiração ruidosa tumultuando o colo, os peitos empinados subindo e descendo, as penas todas do corpo mobilizadas, tanto fazia dizer no caso que a ave já tinha o voo pronto, ou que a ave tinha antes as asas arriadas, e foi pra me-

lar inda mais o desejo dela que levei a mão
bem perto do seu rosto, e comecei com meu
dedo do meio a roçar o seu lábio de baixo, e foi
primeiro uma tremura, e foi depois uma quei-
madura intensa, sua boca foi se abrindo aos
poucos pr'um desempenho perfeito, e começa-
mos a nos dizer coisas através dos olhos (essa
linguagem que eu também ensinei a ela), e
atento na sua boca, que eu fazia fingir como se
fosse, eu estava dizendo claramente com os
olhos "você nunca tinha imaginado antes que
tivesse no teu corpo um lugar tão certo pr'esse
meu dedo enquanto eu te varava e você gemia"
e logo seus olhos me responderam num grito
"sacana sacana sacana" como se dissessem "me
rasga me sangra me pisa", e senti a ponta da
sua língua tocando a ponta do meu dedo, lambendo furtiva minha unha, e senti seus dentes,
que já tinham perdido o corte, mordiscando a
polpa úmida, ela mamava sôfrega a minha isca,
e a gente se olhava, e vazava visgo das suas pu-
pilas, e era o mesmo que eu estar ouvindo o
que ela tinha dito tantas vezes dum jeito am-
bivalente "não conheci ninguém que traba-
lhasse como você, você é sem dúvida o melhor
artesão do meu corpo", por isso continuei mo-

delando a lascívia em sua boca, e logo depois
desci a mão no gesso quente do pescoço, e não
demorou seus poros de ventosa me engoliam
gulosamente os dedos, e foi com a boca imunda que eu disse num vento súbito "estou descalço" e vi então que um virulento desespero
tomava conta dela, mas eu sem pressa fui dizendo "estou sem meias e sem sapatos, meus
pés como sempre estão limpos e úmidos" e eu
de repente ouvi dos seus olhos um alucinado
grito de socorro "larga logo em cima de mim
todos os teus demônios, é só com eles que eu
alcanço o gozo", e escutando este gemido estrangulado eu canalha sussurrei "você se lembra do pé que eu te dei um dia?" e ela então
disse "amor" dum jeito bem sufocado, e eu velhaco recordei "era um pé branco e esguio como um lírio, lembra?..." e ela fechando devagarinho os olhos disse "amor amor", e eu sacana ainda perguntei "que que você fez com o pé
que eu te dei um dia?..." e ela entrando em
agonia disse suspirando "amor amor amor" e
eu vi então que eu tinha definitivamente a pata em cima dela, e que eu podia subverter —
debaixo da minha forja — o suposto rigor da
sua lógica, pois se eu dissesse num sopro "você

viu quantas coisas você aprendeu comigo?" ela haveria de dizer "sim amor sim" e se eu também dissesse "que tanto você insiste em me ensinar?" ela haveria de dizer "esquece amor esquece" e se eu lhe dissesse "já é dia, faz tempo que o teu bom senso se espreguiçou, por que caminhos anda ele agora?" ela haveria de dizer "não sei amor não sei" e vendo o calor, sacro e obsceno, fervilhando em sua carne eu poderia dizer "mais cuidado nos teus julgamentos, ponha também neles um pouco desta matéria ardente" e ela sem demora concordaria "claro amor claro" e me lembrando do escárnio com que ela me desabou, eu, sempre canalha, poderia dizer como arremate "e quem é o macho absoluto do teu barro?" e ela fidelíssima responderia "você amor você" e eu poderia ainda meter a língua no buraco da sua orelha, até lhe alcançar o uterozinho lá no fundo do crânio, dizendo fogosamente num certeiro escarro de sangue "só usa a razão quem nela incorpora suas paixões", tingindo intensamente de vermelho a hortênsia cinza protegida ali, enlouquecendo de vez aquela flor anêmica, fazendo germinar com meu esperma grosso uma nova espécie, essa espécie nova que pouco me importava existisse ou não, era na verdade pra salvar alguns instantes que me rebelava à revelia duma enorme confusão, ela que me enchia tanto o saco com suas vindas, compondo a cada dia a trava dura dos meus passos, mas eu não fiz e nem disse nada disso, e só fiquei um tempo olhando pra cara dela entorpecida e esmagada debaixo dos meus pés, examinando, quase como um clínico, e sem qualquer clemência, o subproduto da minha bruxaria (quantas vezes não disse a ela que a prosternação piedosa correspondia à ereção do santo?), enquanto ia ouvindo seus lábios bem untados se desfolhando obsessivamente num delírio "meu amor sacana meu amor sacana meu amor sacana" e quando senti a mão pequena me entrando trêmula pela camisa, feito uma coleirinha que tivesse voado da touceira ao lado pra se aninhar nos pelos do meu peito, foi só então que lavei o canalha da minha cara e dei num salto o pulo do gato e vi o susto no seu rosto como um lenço branco enquanto gritei num berro cheio "toma! leva o outro!" e estendi o pé como um soldado "tira o dedão pelo menos e enfia no meio das pernas, é ele que te mexia o grelo" eu fui gritando "vai, filha do caralho, é a única coisa que ainda te deixo, corta o dedão enquanto é tempo" e eu via a sua cara de espanto, a tartaruga livre e desenvolta a quem eu tinha sabido como devolver o peso e a tortura da carapaça, reduzi seu tempo de reação a uma agonia, vi o terror nos olhos dela, não basta sacrificar um animal, é preciso encomendá-lo corretamente em ritual "não faça mais devaneio, nunca mais nada do meu corpo, nada! nada! você também vai se estrepar!" eu ainda fui gritando, sabendo que lhe abria pra sempre na memória uma cova funda "nada! nada! nunca mais nada do meu corpo" "você não é gente" ela disse saindo do seu torpor "você não é gente" "fora! fora! você também vai se estrepar!" "você não é gente, você é um monstro!" "suma! suma de vez da minha vida!" "você é um monstro, eu tenho medo de você" "pois foda-se, pilantra" "eu tenho medo" "foda-se" "medo medo" "foda-se foda-se" eu berrava quase contente, e a ré do seu carro serpenteava baratinada, não encontrava direito o caminho de saída, mas o portão já estava aberto, nem tinha visto, e ela com a cara de fora ainda gritava "você não é gente" "você não é gente" e eu em cima desgovernando mais o carro dela, misturando raiva e gargalhada no escorraço "foda-se, fascistinha enrustida" "filhota da porca grande" "filha do cacete" "porra degenerada" "titica de tico-tico" e tudo isso c'um gosto gordo e carregado, sem falar que o Bingo me reforçava fartamente na arruaça, latindo como nunca, descrevendo perigosas evoluções, se arremessando inclusive contra as rodas, e foi um tremendo "broxa!" que ela gritou da rua antes de se atracar no volante lá da máquina, e com tudo que é ingrediente, as faces vermelhas e molhadas, cheias de generosas e borbulhantes lágrimas, a femeazinha que ela era, a mesma igual à maioria, que me queria como filho, mas (emancipada) me queria muito mais como seu macho, eu só sei que pra cobrir a fúria da arrancada do seu carro eu quase estourei a boca com o meu "foda-se" e não vendo mais as pernas do seu Antônio, só o arbusto se mexendo, mobilizei todos os meus foles e berrei um "puta-que-pariu-todo-mundo!", rasgando o peito, rebentando co'a jugular, me regalando grandemente co'a volúpia do meu escândalo, notando uma janela recatada da colina em frente se abrir e fechar numa só ventania, mas eu berrava "fodam-se" "fodam-se" "fodam-se" e com isso ia pondo pra fora o bofe, a carniça e o bucho, enquanto via surpreso e comovido o meu avesso, e sentia até vontade de virar cambotas de macaco no gramado (dando conta só então de que tinha avaliado mal o seu tamanho, não chegava sequer a nanica, era um inseto, era uma formiga), mas em vez de me entregar a estripulias de regozijo, fiquei um tempo ali parado, olhando o chão como um enforcado, o corpo enroscado nas tramas da trapaça, estraçalhado nas vísceras pela ação do ácido, um ator em carne viva, em absoluta solidão — sem plateia, sem palco, sem luzes, debaixo de um sol já glorioso e indiferente — às voltas c'uma zoeira de sangues e vozes, às voltas também com cascalhos mais remotos, e foi de repente que caí pensando nela, no abandono recolhido da sua casa àquela hora do café, certamente já sentada de lado, que era assim que ela ficava depois de concluir o austero dejejum, o cotovelo fincado na mesa, a cabeça apoiada na mão, os olhos pregados no passado, desfiando horas compridas da sua viuvez provecta, revivendo a cada dia os velhos tempos da nossa união, ruminando desde cedo os resíduos deste mito, tendo assistido calada, anos a fio, à quebra ruidosa dos princípios, e pensei também na página mais intensa do seu livro de sabedoria (ao lado da pregação contra o egoísmo), ela que ainda era, com a dispersão da prole, a depositária espiritual de um patrimônio escasso, a lição que ela repetia sempre nas raras vezes que me via, um filho só abandona a casa quando toma uma mulher por esposa e levanta outra casa para nela procriarem, e seus filhos, outros filhos, era esse o movimento espontâneo da natureza, procriar e com trabalho prover o sustento da família ("o amor é a única razão da vida"), e daí passei direto pra fotografia antiga, o pai e a mãe sentados, ela as mãos no colo, o olhar piedoso, os pés cruzados, ele solene, o peito rijo, um grão de prata fechando o colarinho sem gravata, e mais a cara angulosa de lavrador severo, o bigode denso, o olhar de ferro, tendo os dois a ninhada numerosa à sua volta, de pé, mineral, comportada, aqui e ali uma boca torta, atendendo mal ao pedido frívolo do retratista, e aí me detive nos fundamentos e nas colunas e nas vigas inabaláveis daquela estufa, tínhamos então as pernas curtas, mas debaixo desse teto cada passo nosso era seguro, nos parecendo sempre lúcida a mão maciça que nos conduzia, era sem dúvida gratificante a solidez

dessa corrente, as mãos dadas, a mesa austera, a
roupa asseada, a palavra medida, as unhas apa-
radas, tudo tão delimitado, tudo acontecendo
num círculo de luz, contraposto com rigor —
sem áreas de penumbra — à zona escura dos
pecados, sim-sim, não-não, vindo da parte do
demônio toda mancha de imprecisão, era pois
na infância (na minha), eu não tinha dúvida,
que se localizava o mundo das ideias, acabadas,
perfeitas, incontestáveis, e que eu agora — na
minha confusão — mal vislumbrava através da
lembrança (ainda que viesse inscrito no reverso
de todas elas que "a culpa melhora o homem, a
culpa é um dos motores do mundo"), ao mesmo tempo em que acreditava, piamente, que as
palavras — impregnadas de valores — cada
uma trazia, sim, no seu bojo, um pecado origi-
nal (assim como atrás de cada gesto sempre se
escondia uma paixão), me ocorrendo que nem a
banheira do Pacífico teria água bastante pra la-
var (e serenar) o vocabulário, e ali, no meio daquela quebradeira, de mãos vazias, sem ter onde me apoiar, não tendo a meu alcance nem
mesmo a muleta duma frase feita, eu só sei que
de repente me larguei feito um fardo, acabei li-
teralmente prostrado ali no pátio, a cara enfia-

da nas mãos, os olhos formigando, me sacudindo inteiro numa tremenda explosão de soluços (eram gemidos roucos que eu puxava lá do fundo), até que meus braços foram apanhados por mãos rústicas e pesadas, a dona Mariana de um lado, o seu Antônio do outro, ele caladão e desajeitado, ela desenvolta apesar do corpo grosso, procurando logo me distrair com seu relato, me falando numa voz de afago que eu não podia deixar de passar pelas coelheiras "antes de zarpar lá pra São Paulo", que ela estava "perplexa" co'a ninhada da Quitéria, "a menina teve treze na primeira cria, treze! quem diria?", e me lembrando que "o pai é o Pituca, aquele malandro de coelho, tão velho e ainda procriando", "perplexa!" repetia a dona Mariana no acalanto, só mudando o tom pra passar à meia-voz uma raspança no marido que não punha o mesmo empenho que ela, os dois tentando me erguer do chão como se erguessem um menino.

A CHEGADA

E quando cheguei na casa dele lá no 27, estranhei que o portão estivesse ainda aberto, pois a tarde, fronteiriça, já avançava com o escuro, notando, ao descer do carro, uma atmosfera precoce se instalando entre os arbustos, me impressionando um pouco a gravidade negra e erecta dos ciprestes, e ali ao pé da escada notei também que a porta do terraço se encontrava escancarada, o que poderia parecer mais um sinal, redundante, quase ostensivo, de que ele estava à minha espera, embora o expediente servisse antes pra me lembrar que eu, mesmo atrasada, sempre viria, incapaz de dispensar as recompensas da visita, e eu de fato, pensativa, subi até o patamar no alto, me detendo ali um instante mas logo entrando no terraço, me vendo então vigiada pelo Bingo, um irado vira-lata que cumpria exemplarmente o papel de cão do claustro, sentado na almofada da cadeira numa rigorosa imobilidade, varando a hora fosca co'a lâmina dos olhos, mas não fiz caso disso, além de acostumada, já tinha dado conta da folha ali na mesa, onde pude ler, ao me aproximar, mas sem pegar o bilhete, sequer sem me curvar, "estou no quarto", uma mensagem bem no estilo dele — breve, descarnada pelo cálculo, escrita ainda, com intenção, num forjado garrancho de escolar — mas logo esqueci a gratuidade simulada do recado e entrei na sala, inventariando sem pressa os vestígios espalhados pelo assoalho, as duas almofadas que pouco antes lhe teriam servido de travesseiro, o quebra-luz de ferro ao lado, a térmica sobre a banqueta, um cinzeiro ao alcance do braço, e mais um compêndio aberto contra o chão, cuja lombada virada pra cima remetia diretamente ao conteúdo do calhamaço, sem falar nas surradas sandálias de couro cru, abandonadas displicentemente como as sandálias duma criança, cacos isolados uns dos outros e que eu a contragosto fui juntando num mosaico, ficando um tempo ali parada, considerando a densidade da casa quieta, "minha cela", segundo o comentário seco que ele fez um dia, misturando nesse estoicismo coisas monásticas e mundanas, até que me desloquei entre aqueles fragmentos e atravessei a peça toda, e só foi cruzar o corredor pr'eu alcançar a porta ali do quarto, boiando vagamente à luz tranquila duma vela: deitado de lado, a cabeça quase tocando os joelhos recolhidos, ele dormia, não era a primeira vez que ele fingia esse sono de menino, e nem seria a primeira vez que me prestaria aos seus caprichos, pois fui tomada de repente por uma virulenta vertigem de ternura, tão súbita e insuspeitada, que eu mal continha o ímpeto de me abrir inteira e prematura pra receber de volta aquele enorme feto.

Copyright © 1978, 1984, 1992 by Raduan Nassar

Grafia atualizada segundo o Acordo Ortográfico da Língua Portuguesa de 1990, que entrou em vigor no Brasil em 2009.

Capa:
warrakloureiro

Revisão:
Ana Maria Barbosa
Eliana Antonioli

Atualização ortográfica:
Página Viva

1ª edição (1978)
2ª edição (1984) revista pela autor

Dados Internacionais de Catalogação na Publicação (CIP)
(Câmara Brasileira do Livro, SP, Brasil)

Nassar, Raduan, 1935-
　　Um copo de cólera / Raduan Nassar. — 5ª ed. — São Paulo : Companhia das Letras, 1992.

ISBN 978-85-7164-243-0

1. Romance brasileiro I. Título.

92-0459　　　　　　　　　　　　　　　　　　　　CDD-869.935

Índices para catálogo sistemático:
1. Romances : Século 20 : Literatura brasileira 869.935
2. Século 20 : Romances : Literatura brasileira 869.935

Todos os direitos desta edição reservados à
EDITORA SCHWARCZ S.A.
Rua Bandeira Paulista, 702, cj. 32
04532-002 — São Paulo — SP
Telefone: (11) 3707-3500
www.companhiadasletras.com.br
www.blogdacompanhia.com.br
facebook.com/companhiadasletras
instagram.com/companhiadasletras
twitter.com/cialetras

ESTA OBRA FOI COMPOSTA EM GARAMOND 3 PELO ESTÚDIO O.L.M.
E IMPRESSA PELA GEOGRÁFICA EM OFSETE SOBRE
PAPEL PÓLEN BOLD DA SUZANO S.A. PARA A
EDITORA SCHWARCZ EM ABRIL DE 2024

A marca FSC® é a garantia de que a madeira utilizada na fabricação do papel deste livro provém de florestas que foram gerenciadas de maneira ambientalmente correta, socialmente justa e economicamente viável, além de outras fontes de origem controlada.